為什麼我要認識網路人權？

文｜班·赫柏德 Ben Hubbard

圖｜迪亞哥·瓦斯柏格 Diego Vaisberg

譯｜洪翠薇

Digital Citizens Series : My Digital Rights and Rules

Author: Ben Hubbard
Illustrator: Diego Vaisberg
Packaged by: Collaborate

Franklin Watts
First published in Great Britain in 2018 by
The Watts Publishing Group
Copyright © The Watts Publishing Group 2018
Complex Chinese rights arranged through
CA-LINK International LLC (www.ca-link.cn)
Complex Chinese copyright 2019 by
COMMONWEALTH EDUCATION MEDIA AND PUBLISHING CO., LTD.

Franklin Watts
An imprint of Hachette Children's Group
Part of The Watts Publishing Group
Carmelite House
50 Victoria Embankment
London EC4Y 0DZ

An Hachette UK Company
www.hachette.co.uk
www.franklinwatts.co.uk

◑◐ 少年知識家

數位世界的孩子❶
為什麼我要認識網路人權？

作者｜班‧赫柏德 Ben Hubbard　繪者｜迪亞哥‧瓦斯柏格 Diego Vaisberg　譯者｜洪翠薇

責任編輯｜張玉蓉　特約編輯｜洪翠薇　美術設計｜蕭雅慧
內文排版｜柏思羽　行銷企劃｜陳雅婷
發行人｜殷允芃　創辦人兼執行長｜何琦瑜　總經理｜王玉鳳
總監｜張文婷　副總監｜林欣靜　版權專員｜何晨瑋

出版者｜親子天下股份有限公司　地址｜台北市 104 建國北路一段 96 號 11 樓
電話｜（02）2509-2800　傳真｜（02）2509-2462　網址｜www.parenting.com.tw
讀者服務專線｜（02）2662-0332　週一～週五：09:00~17:30
傳真｜（02）2662-6048　客服信箱｜bill@service.cw.com.tw
法律顧問｜瀛睿兩岸暨創新顧問公司
印刷製版｜中原造像股份有限公司　裝訂廠｜中原造像股份有限公司
總經銷｜大和圖書有限公司　電話：（02）8990-2588

出版日期｜2019 年 4 月第一版第一次印行

定價｜300 元　書號｜BKKKC115P　ISBN｜978-957-503-384-2（精裝）

─────── 訂購服務 ───────
親子天下 Shopping｜shopping.parenting.com.tw
海外‧大量訂購｜parenting@service.cw.com.tw
書香花園｜台北市建國北路二段 6 巷 11 號　電話（02）2506-1635
劃撥帳號｜50331356　親子天下股份有限公司

親子天下

目錄

什麼是「數位公民」

當我們上網時，就進入了浩瀚的網路世界。

我們可以用手機、電腦和平板電腦來上網，
可以在線上探索與發揮創意，還可以和數十億個人交流、溝通。
這樣就形成了「數位社群」，而上網的每個人都是「數位公民」。
所以，當你在上網時，你就是個數位公民。
這是什麼意思呢？

公民與數位公民比一比

好的公民奉公守法，懂得照顧自己和其他人，
並且努力讓社會更好。而好的數位公民也一
樣。然而，網路世界比城市、國家要大得多，
它跨越國界，延伸到全世界。因此，世界各地
的數位公民，都有責任讓數位社群成為對每個
人都安全、好玩的地方。

規定好無聊喔，
為什麼要有規定？

通常是為了保護你。

那我有權不准我弟用
我的平板電腦嗎？

呃……

網路人權與規定

奉公守法的公民擁有基本人權，這是指一個人所應該擁有的最基本權
利，像是充足的食物、安全的住所和人身安全保障；當然也包括某些
特別需要受到保障的自由，例如言論自由等。這本書討論的主題是你
的網路人權，以及要當個好數位公民應該遵守的規定。

了解你的權利

**在現今的世界，每個人都應該要能上網，
擁有成為數位公民的權利。**

我們身為數位公民，在網路上享有數位公民權，
不過，想要一直享有這些權利，就要遵守規定，為自己的行為負責。
那麼，數位公民的權責和要遵守的規定究竟有哪些呢？

規定

有時候，網路上看起來像毫無限制，但其實有許多和現實生活中相同的規定。舉例來說，不能霸凌別人或散播不實謠言，也不能盜用別人的作品或非法下載（見第22～23頁）。你的學校或父母可能也有一套關於網路如何使用的規定。

莎拉說你貼了一則不禮貌的評語，來批評她的鞋子。

責任

要成為負責任的數位公民，在網路上的行為必須跟現實生活中一樣，也就是要尊重別人、有禮貌、懂得保護自己和你認識的人，以及適時幫助別人。

你在做什麼？

行使言論自由的權利。

你今天上課的時候在用手機嗎？

但是你練球已經遲到十分鐘了。

權利

上網的時候和現實生活中一樣，具有人身安全保障、不遭受他人辱罵的權利，也享有隱私權和言論自由，並且有搜尋各種資料的權利。然而，瀏覽某些特定的網站可能會違反你的學校、父母或國家的規定。

使用工具的規定

對許多人來說，擁有一個能隨時隨地連線上網的裝置，是日常生活中很稀鬆平常的一部分。

但我們不應將之視為理所當然，要記得這些裝置是工具，不是玩具。
所以，一定要好好照顧你的數位裝置並且節制使用；
在不該使用數位裝置的場合，也要記得將它們關閉。

父母的規定

你的父母可能會規定你什麼時候可以使用手機、平板或電腦，以及每次可以使用多久。也許你現在感受不到，但立下這些規定通常是為了你好。而且，由你父母設下這些規定是很公平的，畢竟是他們出錢讓你上網。

學校的規定

你的學校可能也規定了何時可以使用數位裝置，這通常是為了讓你上課時能專心，不打擾到別人。好的數位公民懂得尊重別人，即使是在課堂外，也會遵守使用數位裝置的規定，例如，在圖書館或大眾運輸工具中，用手機大聲聊天或把音樂放出來，就不是良好行為的表現。

顧好你的數位裝置

手機上有許多關於你的個人資訊，所以要多花點心思照顧它。絕對不要在公共場合將手機丟著不管，畢竟手機是很容易被拿走的。

防堵有害的資訊入侵

網路是免費的資源，我們都有在上面搜尋並接收資訊的自由。

然而，有些有害或兒童不宜的網站會被大人封鎖。

你可以詢問老師或父母，為什麼不能上某些網站。

數位公民有權利問關於網路規定的問題，才能了解為什麼要遵守規定。

為什麼我今天打不開
美國太空總署的網站？

我也不能上
國家地理的網站了！

網站過濾器

安裝網站過濾器是為了封鎖某些有兒童不宜資訊的網站，像是色情或暴力
內容。這些網站對小孩沒有好處，也可能令你困惑或不安。然而，有時候
網站過濾器可能會不小心把有用的網站也封鎖了。如果你覺得某個網站不
該被封鎖，可以告訴你的父母或老師。

哪些網站是有害的？

鼓吹仇恨或教唆他人暴力相向的網站絕對有害。其他像是色情或暴力等成人主題的網站，也不適合小孩看。還有一定要避開要求你提供個人資料的網站。當你不確定怎麼做時，記得：如果在任何網站上看到不喜歡的內容，就馬上退出。

言論自由

言論自由是所有公民的重要權利，對數位公民來說也是。

這表示當你在網路上張貼評論、訊息或部落格貼文時，
能夠暢所欲言，不用擔心受怕。
然而，這不代表你可以想說什麼就說什麼。
在網路世界裡，就算你不同意別人的想法，
也要尊重他們的感受和意見。

什麼是「言論自由」

根據國際法規定，言論自由是基本人權，它讓大家有權利表達自己的想法，不受到任何妨礙。這條重要權利的起源，來自於十八世紀的法國大革命和美國獨立戰爭，當時的人民群起對抗統治者時，爭取到這個基本人權。

失控的言論自由

當有人辱罵別人或刻意說出傷人的話時，他的言論自由就不受法律保障了，尤其當他們的言論攻擊是針對某些人的膚色、性取向、宗教或國籍時，更將成為所謂的「仇恨犯罪」，警方通常會特別嚴肅對待此類的犯行。

尊重他人意見

網路世界是自由的，大家應該要能公開表達意見，並且尊重其他人持不同意見的權利。只要不傷害別人，各種不同的意見，正是讓現實和網路世界變得有趣的原因。

內馬爾好遜喔，
而且我討厭他的髮型。

說話小心點，
很多人喜歡他呢！

也許你該討論他的足球，
而不是他的外表。

好吧，我受不了
內馬爾的足球風格。

原來如此，但是為什麼呢？

保護別人也保護自己

在網路世界，我們要懂得照顧自己和身邊的人。

這表示要避免大家接觸到可能有害或令人不安的資訊。
在社群網站上，我們很容易就能撰寫貼文、
張貼照片或轉分享文章，但要是張貼前不先檢查一下，
事後可能會產生不良的後果。

耶，拍到好照片了，我馬上上傳。

加蘭路 17號

個人資料

你的個人資料包括所有的私人資訊，例如年齡、本名、學校、住址和電話號碼。上網時，要好好保護這些資料，才不會讓陌生人知道太多關於你的事。此外，你也要保護親友的個人資料。

洩漏個資的照片

一張照片能道盡千言萬語。張貼照片到網路上時，也有同樣的效果。照片常常會洩漏太多關於你或朋友的個人資訊，例如你們住在哪裡，或是上哪一所學校。記得：在張貼照片之前，一定要先檢查。

你看，這張照片拍到亨利的門牌號碼跟路名耶。

你說得對，這裡面有太多關於亨利的資訊，我再拍張不一樣的照片吧。

傷人的言論

好的數位公民會舉報並刪除惡意訊息或電子郵件，而且絕不到處散播。要是有人在網路上留言傷害你認識的人，你有責任不要轉貼出去。

關於隱私的注意事項

我們都會使用社群網站和家人、朋友保持聯絡。

當我們張貼照片或部落格貼文時，
都認定它只會出現在張貼的社群網站上。
但我們怎麼能確定呢？
有時候，我們可能會在網路上其他地方看到自己的貼文和照片。

我看起來好像大人喔，
等不及讓大家看到我的照片了！

隱私政策

關於如何運用你的個人資料，許多社群網站都有自己的一套規定。你得自己確認你滿不滿意某個網站的隱私政策，確保你的個人資料不會出現在其他地方。最簡單的方式，就是在加入一個社群網站前，請你信任的大人幫忙看那個網站的隱私政策。

隱私設定

社群帳號上的隱私設定，能讓你選擇誰會看到你的貼文。最好選擇「僅限朋友」的設定。通常，你也可以調整設定，只讓一小群特定的朋友能看到你的照片、貼文或其他比較私人的資訊。

你看，我的照片被散播出去了，這沒有經過我的同意啊！

我想，你忘了在你的帳號上選擇正確的隱私設定了。

確認自己張貼的內容

確保我們的資料在社群網站上受到保護，是很重要的。不過，一旦將某樣東西貼到網路上，它就脫離我們的掌控了。照片很容易就能被複製、轉貼到別的地方。另外，你的帳號也常有被駭客入侵的風險。正因如此，一定要確認你對張貼的內容沒有疑慮。

數位法規

數位法規的目的，是保護數位公民不受網路犯罪的侵害。

網路犯罪包括身分盜竊、非法下載和網路霸凌。
不過，針對網路犯罪，每個國家都有不同的法律，
並沒有特定的國際警察在維護網路安全。
所以，如果看到任何你覺得有害或錯誤的事，
最好的處理方式就是告訴你信任的大人。

騷擾和霸凌

雖然許多國家都同意網路霸凌是犯罪，卻對處理方式有不同的看法。當網路霸凌發生在孩子之間時，當地的警察通常會和學校合作處理。確認有罪的人可能會被退學，或依照騷擾他人的相關法條被起訴。如果這種事發生在你或認識的人身上，最簡單的做法就是告訴你信任的大人。

好噁心！
有人在我的動態上
貼了好多可怕的照片！

走！我們去告訴我爸。

什麼是「網路犯罪」

以下是典型的網路犯罪：

1 以駭客手法入侵網站

2 偷竊別人的資訊或盜用別人的身分

3 非法分享檔案

誹謗

在網路上散播關於別人的不實謠言，是一種叫做「誹謗」的犯罪行為。如果是用文字來毀謗他人，稱為「文字誹謗」；也可能是口頭所說的話，就叫做「言語誹謗」。如果有人散播傷害某人名譽的不實謠言，是很嚴重的誹謗。確認有罪的人，通常要付一大筆錢賠償給被誹謗的對象。

謝謝你們拿給我看，
我會聯絡你們的學校和警方。

❹ 抄襲別人的作品
（見第20～21頁）

❺ 製造電腦病毒

❻ 製作盜版軟體

原創的網路作品

**如果你寫了一篇文章或一本書，
卻被別人拿去說是他的作品，你會有什麼感覺呢？**

被抄襲作品的人就是這樣的心情。
著作權法規定，把不屬於自己的作品，
當成是自己的創作，就是違法的行為，
包括拿別人寫的文章當成作文或作業交出去。

茉莉，我要和你談談
「你的作業」。

註明引用作品的出處

在查資料時，你很可能會找到某個作者把一件事總結得很好，令你心想：「但願那是我寫的。」其實，如果獲得許可，你可以引用作者的原文，並且註明是這位作者寫的，這就叫做「註明出處」。你可以問老師要如何在作業和作文裡註明出處。

不要抄襲別人的作品

從網路上複製一個句子,貼到你的作文或作業裡,是很容易的事。這種行為或許看起來沒什麼,但是這樣就是抄襲別人的作品。比較嚴重的情況是整篇作業都是從網路上抄來的。要查出文章有沒有抄襲別人,可是件很容易的事,抄襲者也可能因此惹上大麻煩。

我很喜歡你的作文,
但是裡面有一些句子是
直接從網路複製貼上的。

我以為偶爾貼個
幾句沒有關係。

如果你有註明這些
句子的出處就沒有關係。
我來教你怎麼做。

非法下載

你可能會覺得，現在很多人都在免費下載音樂、電影和遊戲。

然而，下載任何受到著作權法保護的作品就是偷竊，因此是違法的。
著作權法適用於所有人，不分年齡，
任何非法下載檔案的人，都可能會惹上麻煩。

你確定這樣
不會惹上麻煩嗎？

太棒了，我今天晚上
就下載來看。

你看，這上面連最新的
樂高電影都有耶！

不知為何，
總覺得不對勁。

什麼是「著作權」

當一個人創作出某樣東西，像是書籍、歌曲或電影時，就擁有這項
作品的著作權。這也就是說，他們有權利決定要如何處理自己的作
品。若要使用他們的作品，要先徵求同意，通常還要支付一筆費用
給他們。這樣能防止大家盜用別人的作品。所以，如果你免費下載
有著作權的東西，就可能違法了。

非法下載

有許多合法的網站可以付費下載電影、歌曲或書籍，但也有一些非法提供免費下載的網站。使用這些非法網站不僅違法，還可能會害你下載到帶有病毒或惡意軟體的檔案，而且這類檔案的品質通常不太好。雖然免費很吸引人，但最好避免使用這些網站和分享檔案。

我下載了那部電影，但是音效好差喔。

我的筆電在播放那部電影後就變得怪怪的。

是啊，我的也是。真抱歉。

呼！還好我沒有加入他們。

全民網路

現今，數位科技無所不在。

我們使用這種科技來學習、玩樂、傳訊息給朋友。
那麼，世界上每個人一定都至少有一種數位裝置，
像是筆記型電腦、平板電腦或智慧型手機，對吧？
很可惜，事實並不是如此。
許多地方的孩子沒有自己的數位裝置，
甚至還有人完全不能上網。

再十五分鐘就換你了。

一個充滿機會的世界

好的數位公民相信每個人都應該能使
用網路，不論他是誰、人在哪裡、擁
有多少錢。沒有人該錯過網路世界上
的各種好機會。

我能幫上什麼忙？

有許多方式能幫助你家附近和
世界各地沒有網路可用的人接
觸網路，這些方式包括：

1. 回收舊的數位裝置

問問你的老師，看看你的學校能不能設置回收箱，蒐集老舊被淘汰的數位裝置。這些舊手機、電腦和平板電腦可以送給附近或國外有需要的人。

2. 募集購買設備的資金

舉辦資金募集活動，像是義賣蛋糕，能幫你的學校募集資金，以購買學校圖書館或電腦室用的數位裝置，之後就能出借給學生。問問你的老師如何舉辦這類的活動。

你知道世界上，只有大約一半的人能使用網路嗎？

你知道全球只有大約30%的人擁有智慧型手機嗎？

3. 詢問父母

有時候，大人能幫上很多忙，因為他們知道許多關於其他大人的事。問問你的父母，知不知道有哪一家企業可能願意捐錢或數位裝置給你的學校。如果他們知道你想做什麼，可能會樂意幫忙。

幫助大家參與網路世界

如果想幫助大家加入網路世界，首先，可以從你家附近開始。

我們身邊一定有人沒有最新型的手機或平板電腦，
也有很多人不知道如何好好使用自己的數位裝置。
好的數位公民會邀請每個人參與網路世界，教導大家如何使用，
讓每個人都能跟上最新的趨勢和科技。

讓大家都參與

沒有數位裝置或網路連線的人，很容易覺得自己被孤立。不過，你可以讓他們看看你的裝置上有什麼最新的應用程式，協助他們參與網路世界。畢竟，在學習新事物時，我們常常都需要別人的幫忙。

來看看如何使用這個
新的通訊軟體吧！

特殊需求

某些有特殊需求的學生，在使用數位裝置時可能會遇到困難：他們或許看不清楚，或無法好好拿著裝置。學校應該要確保這些學生能和其他人一樣，可以順利使用到各種裝置。如果你發現有人被忽略了，可以和老師討論怎麼幫助他們。

傳訊息的方法是這樣……

要怎麼邀請朋友加入啊？

數位落差

擁有數位裝置的人和沒有的人，兩者之間的差距稱為「數位落差」。隨著智慧型手機的普及，現在比起以前，有更多人能接觸到網路，但離人人都能成為數位公民的目標，還有很長的路要走。

數位知識小測驗

在你看完這本書之後，對於網路人權有什麼感想呢？

你學到了多少東西，又能記得多少東西呢？
做做看這個小測驗，完成後計算總分，就能知道囉！

Q1 以下何者是網路權利的一種？

a. 獲得一支免費的智慧型手機
b. 言論自由
c. 對任何人說任何話的自由

Q2 能夠上網和不能上網的人之間的落差叫做：

a. 網路間隔
b. 線上缺口
c. 數位落差

Q3 不應該在哪裡使用智慧型手機？

a. 在海灘上
b. 在課堂上
c. 在公園裡

Q4 什麼時候可以使用一位作者放在網路上的作品？

a. 當你註明出處時
b. 當你將所有文字加粗時
c. 當你把所有句號刪掉時

Q5 在社群網站帳號上，應該使用哪一種隱私設定？

a. 僅限朋友
b. 朋友的朋友
c. 所有人

Q6 以下何者是誹謗的一種？

a. 思想誹謗
b. 文字誹謗
c. 動作誹謗

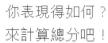

Q7 以下何者不是個人資料的一種？

a. 你的虛擬頭像
b. 你的本名
c. 你的住址

Q8 以下何者不是網路犯罪的一種？

a. 以駭客手法入侵網站
b. 在部落格上說某個人很聰明
c. 盜用別人的身分

你表現得如何？
來計算總分吧！

1分～4分：
是個好的開始，不過再
做一次測驗吧！看看你
能不能得4分以上。

5分～7分：
表現不錯喔！現在，
試試看你能不能通過《
為什麼我要重視網路安
全？》書後的小測驗。

8分：
恭喜你得滿分！你是天
生的數位公民喔！

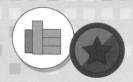

詞彙表

虛擬頭像
用來在網路上代表自己的圖示或圖像。

封鎖
一種阻止別人在網路上傳送惡意訊息給你的方式，或是被阻擋、不能上某個網站。

下載
從網路上取得資訊或檔案存放到數位裝置中。

駭入
運用電話系統或網際網路，在非正規的情況下入侵他人系統。

網路
一個巨大的電子關係網，讓全世界上億臺電腦能互相連結。

惡意軟體
一種危險的程式，用來傷害其他數位裝置。

上網
透過數位裝置連結到網路。

隱私設定
社群網站上的控制選項，讓你決定誰能連結到你的個人檔案與觀看你的貼文。

搜尋引擎
一種電腦程式，能用你輸入的字詞在網路上找出相關資訊。

性取向
一個人對特定性別的持久性情感，可能受同性或異性吸引。

智慧型手機
能夠連線上網的手機。

社群網站
讓使用者能用來在網路上分享內容與資訊的網站。

信任的大人
你熟悉且信任的大人，能幫助你處理所有和網路相關的問題。

病毒
一種危險的程式，能讓電腦「感染」和摧毀電腦上的資料。

延伸資訊

什麼是「CC授權」

「CC授權」（Creative Commons license）指的是：當一個創作者想將自己的作品（像是一首歌、一張圖、一篇文章等）跟他人分享或讓他人使用，甚至允許他人創作衍生作品時，這時就可以使用CC授權條款。創作者可以挑選最適合自己作品的授權條款，並自行標示條款於作品上，再將作品釋出給大家使用。

這對使用的人來說，無疑是很棒的好消息，因為只要遵守創作者指定的條件，就不必擔心侵犯版權了。

而臺灣對於CC版權也多有耕耘，更多了解可至以下網站：

臺灣創用CC計畫 http://creativecommons.tw/

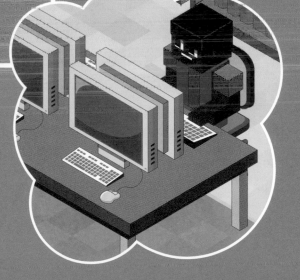

索引

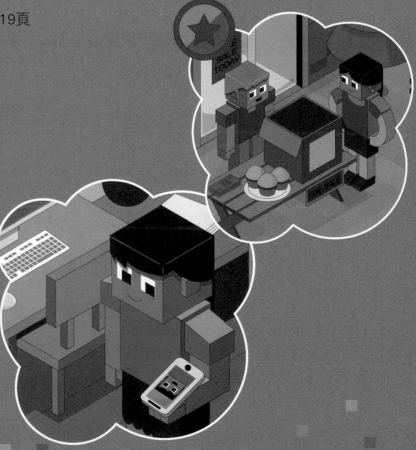

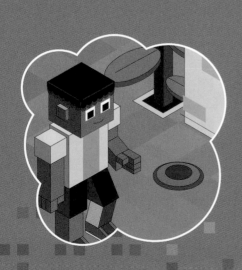